D1400488

As-tu vu?

Les
Roches
Minéraux

éditions les malins

La lithosphère

La géologie est la science qui étudie les couches externes de la Terre, et plus particulièrement la lithosphère.

La lithosphère est l'enveloppe rigide de la surface terrestre. Comme la partie dure d'une noix de coco !

La croûte terrestre

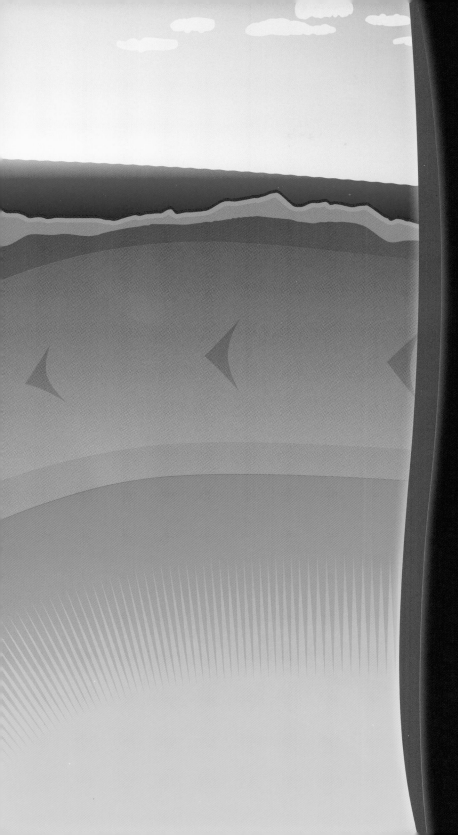

Les roches sont généralement formées de minéraux, et on en retrouve un peu partout sur la Terre. Par exemple, la croûte terrestre est constituée principalement de roches.

Son épaisseur varie, mais sous les continents, elle est d'environ 30 km. La croûte terrestre est comme le plancher de la Terre.

La lave

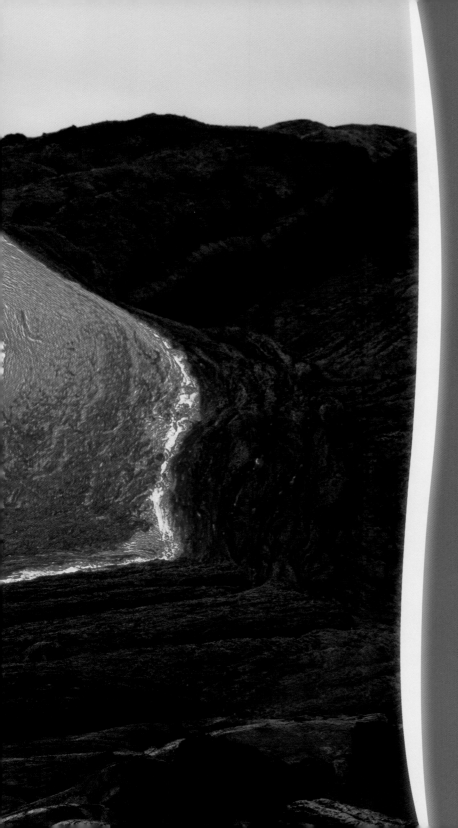

La lave qui s'écoule d'un volcan lors d'une éruption est de la roche en fusion plus ou moins liquide, et elle peut atteindre une température de 1200 °C.

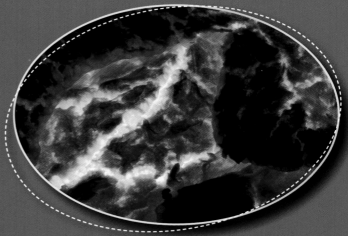

C'est six fois la température nécessaire pour faire frire des pommes de terre!

Les grandes familles de roches

Il existe trois grandes familles de roches :

a) les roches magmatiques (ou ignées) ;
b) les roches sédimentaires ;
c) les roches métamorphiques.

Les roches magmatiques se forment lorsque la lave se solidifie ou se cristallise au contact du sol, de l'atmosphère ou de l'eau. La lave durcit rapidement, comme la tire d'érable au contact de la neige.

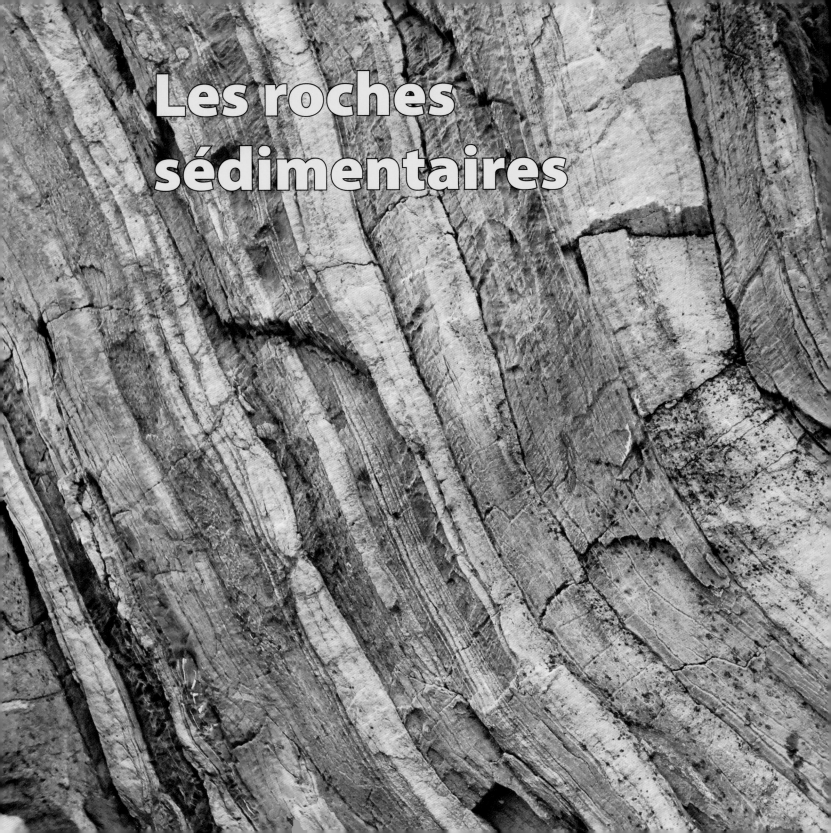

Les roches sédimentaires

Les roches sédimentaires proviennent de l'accumulation de sédiments. Un sédiment est un dépôt de particules laissé par l'eau ou le vent qui, par la gravité, se déposent en couches successives. Par exemple, l'argile est une roche sédimentaire.

Lorsqu'on la fait cuire, elle se solidifie. Comme la pâte à biscuits qui au départ est molle et devient croquante une fois cuite!

Les roches métamorphiques

Les roches métamorphiques proviennent habituellement de la transformation des roches sédimentaires sous l'effet de températures ou de pressions élevées. Le marbre est une roche métamorphique dérivée du calcaire, qui est, lui, une roche sédimentaire. Le marbre est un matériau exceptionnel, très résistant, qui peut traverser les époques comme l'ivoire – dans certains musées, on retrouve encore aujourd'hui des sculptures en ivoire qui datent de la préhistoire.

Les minéraux

Les minéraux sont formés d'un ou de plusieurs éléments chimiques. Il existerait plus de 4000 variétés de minéraux dans la nature, alors qu'on estime à près de 8 millions le nombre d'espèces animales sur la Terre.

C'est 2000 fois moins de minéraux que d'animaux !

Les mines

On trouve la plupart des minéraux dans le sous-sol de la Terre. Les endroits où l'on creuse le sol pour les extraire sont les mines. Tau Tona est la mine la plus profonde du monde. Elle est située en Afrique du Sud. Sa profondeur est de 3,9 km. Les mineurs mettent une heure pour se rendre tout au fond à l'aide d'un ascenseur qui file à 60 km/h. C'est la vitesse moyenne à laquelle roule un autobus scolaire !

Le minerai

Le minerai est une roche qui contient des minéraux dits utiles, comme l'argent, le cuivre ou l'or. Les minéraux doivent se retrouver en quantité suffisante pour qu'on les exploite.

C'est un peu comme si ton muffin était le minerai et les pépites de chocolat, les minéraux !

La dureté

La dureté des minéraux varie beaucoup. Le diamant serait le minéral le plus dur de tous les minéraux connus à ce jour. D'autres le sont beaucoup moins.

Par exemple, le talc est friable sous l'ongle. Un peu comme si tu passais ton ongle sur un morceau de sucre à la crème !

Le plus gros diamant du monde

Le Cullinan est le plus gros diamant du monde. Il a été découvert en Afrique du Sud en 1905. Le Cullinan a une masse de 3106 carats. On évalue la pureté des minéraux en carats. Pour te donner une idée, les diamants qui ornent généralement les bagues de fiançailles ont une masse de 1 ou 2 carats. Je te laisse les comparer!

Le quartz

Le quartz a la propriété de vibrer avec régularité. C'est pourquoi il est utilisé en horlogerie. Sa vibration dépasse les 32 000 fois par seconde.

Certaines espèces de colibri, l'oiseau le plus rapide du monde, peuvent battre des ailes jusqu'à 200 fois par seconde. C'est 160 fois moins que le quartz!

L'or

L'or est un des minéraux les plus convoités. En 2014, le Canada a produit environ 152 tonnes d'or.

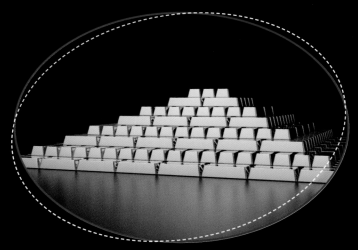

Une tonne équivaut à un million de grammes; c'est 5 fois le poids d'un lion mâle.

Le sel

Le sel est un minéral dans lequel on retrouve du sodium. Santé Canada recommande aux enfants de 4 à 8 ans de consommer idéalement 1200 mg de sodium par jour et de ne pas dépasser 1900 mg.

Un hamburger et une grande portion de frites achetés dans un restaurant-minute totalisent à eux seuls 1500 mg de sodium. Et toi, es-tu raisonnable avec le sel ?

L'argent

L'argent est un minéral de plus en plus rare. Certains spécialistes affirment que l'on pourrait assister à la fin des stocks d'argent d'ici 2029.

Son exploitation est tellement importante que l'on voit déjà les ressources s'épuiser. Si nous continuons d'exploiter l'argent à cette cadence, il se peut qu'il soit complètement disparu de la Terre avant que tu aies 40 ans !

Québec 🏵🏵

Crédit d'impôt   Gestion
livres   SODEC

ASSOCIATION
NATIONALE
DES ÉDITEURS
DE LIVRES

Gouvernement du Québec – Programme de crédit d'impôt
pour l'édition de livres – Gestion Sodec

© **Les éditions les Malins inc.**

info@lesmalins.ca

Éditeur : Marc-André Audet
Éditrice au contenu : Katherine Mossalim
Auteure : Jessica Lupien
Correcteurs : Jean Boilard, Fanny Fennec et Dörte Ufkes
Directrice artistique : Shirley de Susini
Montage : Nicolas Raymond
Crédits photo : Shutterstock.com

Dépôt légal – Bibliothèque et Archives nationales du Québec, 2016
Dépôt légal – Bibliothèque et Archives Canada, 2016

ISBN : 978-2-89657-427-8

Imprimé en Chine.

Tous droits réservés. Toute reproduction d'un extrait quelconque
de ce livre par quelque procédé que ce soit est strictement interdite sans
l'autorisation écrite de l'éditeur.

Nous reconnaissons l'aide financière du gouvernement du Canada
par l'entreprise du Fonds du livre du Canada pour nos activités d'édition.

Les éditions les Malins inc.
Montréal, Québec